거트루드 스타인의
「그를 표현한다면―완성된 피카소의 초상」
좋아하는 법

피카소의 '초상'과 '완성된 초상' 사이에는 어떤 차이가 있는가? 나폴레옹이 차이다. 거트루드 스타인[1]은 피카소를 알았고, 나폴레옹은 몰랐다. 그래서 나폴레옹을 통해 피카소를 완성하려고 둘 사이에 자신을 놓는다. 자신을, 자신의 페이지를, 자신의 거울을 말이다. 피카소가 이 거울을 통해 나폴레옹을 보고, 나폴레옹이 이 거울을 통해 피카소를 본다. 그리고 거트루드 스타인의 질문, 모든 거울의 직업적인 질문은 닮음에 관한 질문이다.

내가 그에게 말하면 그는 좋아할까. 그는 좋아할까 내가 그에게 말하면.

척 봐도 그가 누구인지 모호하다. 거울이 말하는 방식은 교묘하다. 거울의 구문이 두 신사를 오가며 깜박인다. 그는 피카소인가? 가끔은 그렇지만, 가끔은 나폴레옹이다. 둘이 호환될 수 있나? 아니, 그건 그냥 유사(類似)일 뿐, 나중에 거트루드가 그 정도 얘기를 해주겠지만, 먼저 그녀는 닮음이 어떤 것인지를 일깨운다. 닮음이 어떻게 동일성을 의도하는 듯하면서 차이성을 드러내는지를 말이다.

지금.
지금 말고.
그리고 지금.
지금.

닮음이 '같이' 같은 꾀바른 조사(助詞)에 얼마나 선택권을 의존하고 있는지.

왕들같이 엄정함.

'같이' 같은 조사의 신뢰성은 얼마나 불안정한지.

왕들같이같이 엄정하게.

왕들과 엄정함에 관한 왕들의 끝없는 불안의 세상에서, 그 문제에 덧문을 닫아 걸 여왕들이 있는 것으로 밝혀지니, 이 얼마나 좋은가. 여왕과 덧문에 관한 상쾌한 구절이 엄정함과 닮음의 관계를 생각게 한다. 이건 열거나 닫을 수 있는 덧문 같은 관계다. 거트루드 스타인은 양쪽으로 흔들린다. 그녀는 '정확한 닮음'을 말한다. 그녀는 그것이 모순어법이 될 때까지 여러 번 말한다. 우리는 이미 '같이'로 나타나는 이 모순어법을 일별했지만, 그녀는 이건 중요하므로 반복하라고 지시한다.

여하튼 지금 적극적으로 반복하라, 여하튼 지금 적극적으로 반복하라, 여하튼 지금 적극적으로 반복하라.

그러니 여러분이 이미 그렇게 했거나, 아니면 저처럼 지금이라도 당장 처음부터 모든 문장을 적극적으로 반복한다면, 피카소와 나폴레옹이 이 거울이 얘기하는 정도로 정확하게 닮음을 공유한다는 주장이 그럴듯하게 느껴지기 시작한다. 그렇게 성립한 닮음을 가지고 거트루드 스타인은 계속해서 다름으로 나아간다. 이 두 신사를 분화하는 요인은 시간이다.

누가 먼저인가. 나폴레옹 1세.

시간은 우리를 닮음이 존재하는 현재로 돌려주고, 거트루드 스타인은 그것을 포착하기 위해 거울의 위치를 조정한다.

지금같이같이.

이제 그녀는 두 신사가 너무나 친밀해진 데다 그들이 누구이고 어떻게 이 거울 속에 있게 됐는지 우리가 알기에 더는 고유한 이름이 필요하지 않은 관능적인 단락에서 '그'가 공유됨을 또한 포착해낸다.

그 그 그 그 그리고 그 그리고 그 그리고 그리고 그 그리고 그 그리고 그 그리고 그리고 같이 그리고 같이 그 그리고 그같이 그리고 그. 그는 그리고 그같이, 그리고 그같이 그리고 그는, 그는 그리고 그같이 그리고 그 그리고 그같이 그리고 그 그리고 그 그리고 그리고 그 그리고 그.

여기서 우리는 거울 속으로 빨려든 게 아닐까 두려워진다. 하지만 그녀가 지적하기를, 거울로 비추는 것은 어쨌든 그저 시각적인, 읽히는 몸의 세부에 관한 문제이고, 그건 단어도 마찬가지일지 모른다.

　　곱슬머리는 훔칠 수 있나 곱슬머리는 인용할 수 있나, 인용될 수 있나.

피카소의 곱슬머리가 나폴레옹의 곱슬머리를 인용할 수 있다면 닮음이란 사실상 한 신사가 다른 신사의 정체성을 훔치는 것(해럴드 블룸[2]이 어딘가에서 숭고는 늘 인용이라고 말하지 않는가?)이지만 이 시점에서 거트루드 스타인은 여러 번 열차를 언급한다.

　　열차 갖기.
　　열차 갖기.
　　열차같이.
　　열차같이.

왜 열차인지는 모르겠다. 거트루드 스타인을 읽을 때는 요점을 파악하고 한동안 성실하게 잘 따라가고 있다가도 문득 그녀가 경로를 바꾸어 나를 떨쳐버리는, 말하자면 역에 멀뚱히 서 있는 듯한 느낌이 들 때가 있다. 그녀는 표류하듯 시야에서 멀어진다.

　　더 멀리 아스라이.

그러다가 그녀는 휭하니 돌아온다. 마무리에 몰두하며 또 자기가 설치해놓은 핵심 장치에 뿌듯해하며, 피카소와 나폴레옹을 비추는 이 페이지로, 그녀 자신과 그들이 함께 만드는 이 기적적인 삼각 구도로. 그녀는 하나, 둘, 셋이라는 숫자와 '나'라는 대명사를 반복하는 목록으로 이 삼각 구도의 모서리들을 지시하고 인정한다.

　　하나.
　　나 상륙.
　　둘.

나 상륙.

셋.

그 육지.

셋.

그 육지.

셋.

그 육지.

둘.

나 상륙.

둘.

나 상륙.

하나.

나 상륙.

둘.

나 상륙.

어느 신사도 섬이 아니라고, 그녀의 거울은 암시한다. 적어도 거트루드 스타인이 배를 타고 지날 때는 말이다. 피카소와 나폴레옹의 관계에는 여전히 뭔가 있을 듯하지 않은 것이 있다는 걸 그녀는 인정한다.

같은 사람같이.

그들은 못한다.

메모.

그들은 못한다.

뜸.

그들은 못한다.

그들은 왜 못하나? 그녀는 말하지 않는다. 그건 기적이 될까? 그렇다, 그건 기적일 테고 정확하게 바로 그 기적이 일어난다.

기적들이 장난친다.

어지간히 장난친다.

어지간히 잘 장난친다.

거울이 기적처럼 장난을 치는 곳은 어디인가? 그녀는 말한다. 역사 속. 그리고 그녀의 대상(유명한 신사들)과 그녀의 수단(시간)이 모두 역사적이기 때문에 그건 정당화되는 듯하다. 하지만 기적의 장난은 단순히 신사들뿐만 아니라 가르침도 담았음직하다. 거트루드 스타인은 가르침에 책임감을 느낀다.

    역사가 가르치는 것을 다시 읊어보겠다. 역사가 가르친다.

이것이 그녀가 가르치는 수업의 끝이다. 지금 (역사적으로) 시작 부분을 되짚어보면, 우리는 그녀의 역사가 닮음에 관한 교훈을 가르치고 있음을 알게 된다. 그녀가 가르쳐주면 우리는 좋아할까? 그렇다, 우리는 좋아할 것이다. 아니라면 적어도 나는 그렇다. 초상화 완성하기는 비록 기적적으로나마, 그리고 절대 셋 이상은 안 될지라도, 자신과 꼭 닮은 사람을 좋아하는 법을 배우는 일이다.

¹ 거트루드 스타인(Gertrude Stein, 1874~1946)은 미국의 소설가이자 시인, 극작가 겸 미술품 수집가다. 1903년에 파리로 건너가 정착했다. 그녀의 살롱은 피카소, 헤밍웨이, 피츠제럴드, 에즈라 파운드, 앙리 마티스 등 미국과 프랑스 문학계와 미술계의 주요 인사들이 모이는 모더니즘 운동의 중요 거점이 되었다. 주요 저서로는 『세 명의 삶』, 『미국인의 형성』, 연인의 이름을 빌려 쓴 유사 자서전인 『앨리스 B. 토클라스 자서전』 등이 있으며 '자동기술' 문체를 처음으로 선보여 문학계에 충격을 주었다.

² 해럴드 블룸(Harold Bloom, 1930~2019)은 20세기 후반과 21세기 초에 걸쳐 세계적으로 큰 영향력을 행사한 미국 문학평론가 겸 작가다. 당대 문학계가 집중하는 다문화주의자나 페미니스트 작가들을 '분개파'라 명명하며 비판하고 서구 전통 문학의 정전을 옹호하는 등 보수적인 논조를 보였다. 문학비평에 관한 20여 권을 포함하여 50권이 넘는 저서를 남겼다.